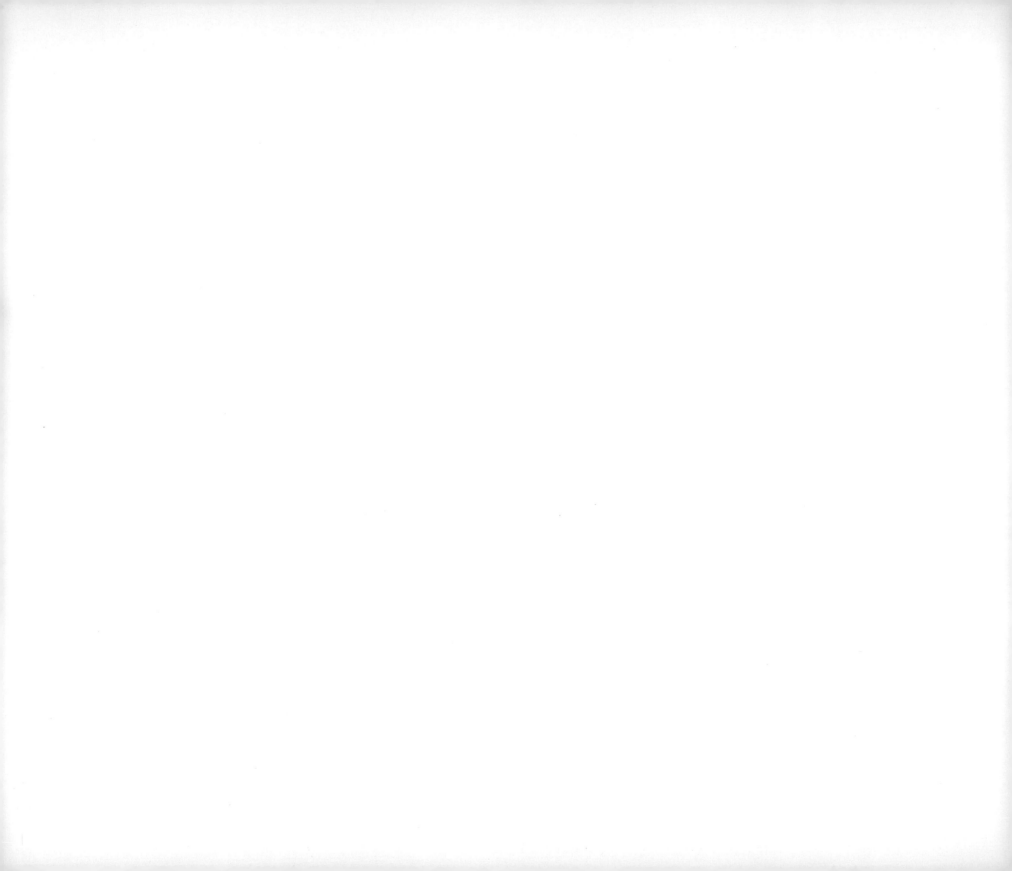

Adivinanzas mexicanas

See Tosaasaaniltsiin, See Tosaasaaniltsiin

LA COLECCIÓN JOVEN DE ARTES DE MÉXICO

Libros del Alba

Adivinanzas mexicanas

See Tosaasaaniltsiin, See Tosaasaaniltsiin

ARTES DE MÉXICO-CIESAS, segunda edición, 2007.
Primera edición, 2005.

EDICIÓN: Margarita de Orellana
COORDINACIÓN EDITORIAL: Gabriela Olmos
DISEÑO: Leonardo Vázquez
CORRECCIÓN: María Luisa Cárdenas, Edith Vera, Michelle Suderman, Margarida Trias

© De la recopilación en Oapan, Guerrero y de la nota: José Antonio Flores Farfán
© De la versión tlaxcalteca: Refugio Nava Nava
© De la versión inglesa: José Antonio Flores Farfán y Wilf Plum
© De la versión catalana: Josep Cru
© De las ilustraciones: Cleofas Ramírez Celestino

D.R. ©Artes de México y del Mundo, S.A. de C.V., 2005
    Córdoba 69,
    Col. Roma,
    06700, México, D.F.
    Teléfonos: 5525 5905, 5525 4036

De la edición en encuadernación rústica:
ISBN: 978-970-683-292-4, Artes de México
ISBN: 978-968-496-628-4, CIESAS

De la edición en pasta dura:
ISBN: 978-970-683-288-7, Artes de México
ISBN: 978-968-496-629-1, CIESAS

Impreso en China

ARTES DE MÉXICO

CIESAS

Adivinanzas mexicanas

See Tosaasaaniltsiin, See Tosaasaaniltsiin

RECOPILACIÓN
José Antonio Flores Farfán

VERSIÓN TLAXCALTECA
Refugio Nava Nava

VERSIÓN CASTELLANA
José Antonio Flores Farfán

VERSIÓN CATALANA
Josep Cru

VERSIÓN INGLESA
José Antonio Flores Farfán
Wilf Plum

ILUSTRACIONES
Cleofas Ramírez Celestino

ARTES
DE MÉXICO

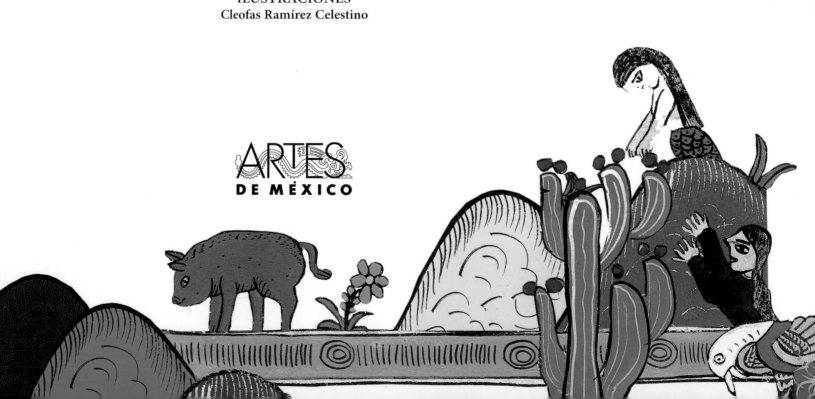

Castellano

¡Adivinada!
En un barranco,
por el cerro al andar,
ropa blanca mojada
te vas a encontrar.

Las nubes

Oapan

See mosaasaaniltsiin:
Tiaas iipan see tepeetl.
Iipan see tlakomoolli,
melaa chachapaantok
miak tlakeenteh.

Mooxteh

Tlaxcala

Nextik nimotlaalia.
Kwaak nikwalaantika,
kwale nimoistaayalia,
kwaak niyemantika.

In miixtle

English

Soon the plants will drink their fill.
White bundles of wet cloth
Hanging above the hill.

The clouds

Català

Endevina, endevinalla:
En un barranc trobaràs
quan pugis a la muntanya
roba blanca i ben mullada.

Els núvols

Castellano

Adivina adivinando:
Al sembrar la milpa,
dos bueyes lo van cargando.

El arado

Oapan

See mosaasaaniltsiin,
see mosaasaaniltsiin:
See wakaax kitoowaa
kimaamaatinemi kuhtli.

Aradooh

Tlaxcala

Niktlapohtinemi in ohtle,
kaampa nemiskeh in piotsitsiih.
Maaski waalkihksti pooktle,
amoo xotla in tlepiotsitsiih.

In Aradooh

English

I follow the oxen as they strain
To prepare the fields for the grain.

The plow

Català

Endevina, endevinalla:
Sembrant el camp segueixo els bous
obrint la terra vaig fent solcs.

L'arada

7

Castellano

¿Adivinarás?
Si a lo alto del cerro vas
mucha hierba encontrarás.

El cabello

Oapan

See tosaasaaniltsiin:
lipan see tepeetsiintli,
melaa miaak xiihtli.

Tsoontli

English

Think, and you may guess at last.
At the top of the hill,
Lots and lots of grass!

Hair

Català

Pensa amb el cap:
Molta herba trobaràs
quan al cim arribaràs.

Els cabells

Tlaxcala

Keeme ikpaatl, keeme sakaatl.
Waan amoo tikpuchina iika malakaatl.

In tsoontle

Castellano

Adivina adivinando:
¿Qué será que va saliendo?
¡Ve tu hoja agarrando!

El excremento

Oapan

See tosaasaaniltsiin:
Yee waalkisa.
Xkiitski moxiiwhiotsiin!

Kwitlaatl

Tlaxcala

Timotlalia, tikkahkaawa,
timihkatilia waan tikilkaawa.

In kwitlaatl

English

Maybe it will need a push!
Grab your leaf
And hide behind a bush!

Excrement

Català

Endevina, endevinalla:
Si fas força sortirà
tingues una fulla a mà!

L'excrement

11

Castellano

Por más que quieras y trates,
nunca la podrás tocar,
aunque siempre en la luz
te va a acompañar.

La sombra

Oapan

Maaske maas
tikaanasneki,
xweel tikaanas.

Tlaseewaahlo

Tlaxcala

See tlaakatl miixpa tsikwiintinemi.
Tlaa timokweepa mitsikaahwia.
Maaski tsikwiini, maaski patlaani,
iikan toonaltsii nion mitoonia.

In tlaseekawil

English

You can't catch it,
Try as you might...
But it follows you
Wherever there's light!

Your shadow

Català

Per més que vulguis
mai l'agafaràs
tot i que amb llum
sempre la veuràs.

L'ombra

Castellano

Adivina adivinando:
Se pasa la vida
comiendo y zurrando.

Cuezcomate (troje)

Oapan

See mosaasaaniltsiin,
see mosaasaaniltsiin:
Saan tlakwaatika waan
nonoxixtika.

Kweskomaatl

Tlaxcala

Miek tlakwaal iihtek kipia.
Waan ayek moteequitilia.

In kweskomaatl

English

It only eats
And excretes.

A grain silo

Català

Endevina, endevinalla:
Es passa la vida
menjant i cagant.

El graner

Castellano

Cinco hermanos,
muchos nombres,
todos de la mano.

Los dedos de la mano

Oapan

See saasaaniltsiin:
Timakwilte iikniihte,
seeseehneka toapellido.

Mapilteh

Tlaxcala

Makwiil kookoneh:
moyeektlalia,
aweel moxeeloaah
tlaa mokomooniaah...

Nomahpilwa

English

We are five brothers.
But each of our names
Is different from the others.

The fingers

Català

Som cinc germans
agafats de les mans
amb noms diferents
això com s'entén?

Els dits de la mà

Castellano

¿Adivinarás?
Mujer fatal,
si por el océano vas
su canto escucharás.

La sirena

Català

Endevina, endevinalla:
D'una dona sense peus
el cant sentiràs
si navegant vas.

La sirena

Esta adivinanza no se incluye en
la versión de Tlaxcala porque en
su geografía no hay mar.

English

Down the river,
She's singing her song,
While the fisherman
Floats along.

The mermaid

Oapan

See tosaasaaniltsiin,
see tosaasaaniltsiin:
Kwaak see
tlatlaamani aapanipan
paxiaalotika kikatika nokwikatika.

Aasirenah

Castellano

¿Adivinarás?
¿Qué es una casa blanca,
sin puertas ni ventanas?

El huevo

Oapan

See tosaasaaniltsiin, see
tosaasaaniltsiin:
See kalli melaa istaak,
xkipia puerta nin ventana.

Tootootletl

Tlaxcala

Amoo tikwiitis tleen nimitsilis:
maaski tiktehtewis nin kale,
amaka mitstlapolwilis.

In tootootletl

English

Take a guess:
It's all yours.
What is a white house
Without windows or doors?

An egg

Català

Endevina, endevinalla:
Una casa blanca és
sense portes ni finestres
saps de què parlem?

L' ou

Castellano

Adivina adivinando:
Por más que de agua se llenó,
ni un chorrito de pipí le salió.

Gran olla para el agua

Oapan

Oksee tosaasaaniltsii:
Saan aatlika,
xnaaxiixa waan xnoxiixa.

Aakoontli

Tlaxcala

Saan aatemi, saan aatemi.
Amoo tlacuaa.
Waan amoo
iihtekwakwalaka.

In aakoomitl

English

Though it may drink till it's full,
It never pees, as a rule.

Clay pot to store drinking water

Català

Endevina, endevinalla:
Plena d'aigua
la pots tenir
però mai farà pipí.

Olla gran per a l'aigua

Castellano

¡Hay que adivinar!
Muy temprano mi colita,
juega y limpia sin igual.

La escoba

Oapan

See mosaasaaaniltsiin:
see kwaalkaan,
nokwitlaapil nawiltia.

Tlachpanwaastli

Tlaxcala

Moomoostlatika, moomoostlatika,
see sowaatsiintle neechihtootia:
amoo tsikwiini nion monaktia.
Saan yoyooliktsi neechooliniaa.

In popootl

English

When it's time to clean
Early in the day,
That's when it's time
For my tail to play.

A broom

Català

Endevina, endevinalla:
Una cua per la brossa
que neteja el meu jardí
tot jugant de bon matí.

L'escombra

Castellano

¡Trinen chilladores!
En un barranco
muchos niños bailadores.

El trompo

Oapan

See saasaanilli:
Iipan see tlakomoolli,
melaa kimiitootiaan miak kookoneh.

Trompooh

Tlaxcala

Saan noseel nimihtootiaa,
waan ayak neechmotoktia.

In trompooh

English

Here's one: take a whirl!
On the ground,
Children sing and twirl!

A top

Català

Gira i trina la joguina
els infants la fan ballar
si la corda fan anar.

La baldufa

Castellano

¿Será que lo podrás decir?
Soy un rollo,
de noche desenrollo
para que puedas dormir.

El petate (estera)

Oapan

See saasaaniltsiin, see
saasaaniltsiin.
See totlaakatsiin,
nochipa nomeelawtika waan
wipantika.

Petlaatl noso tlapeextli

Tlaxcala

Neh nimoteeka,
tlaa tikochmikitika
aweel nikochi,
nimitsmeemeehtika.

In petlaatl

English

Unroll me and have a rest!
To bring sweet dreams,
I'm the best!

A sleeping mat

Català

Endevina, endevinalla:
A la nit quan vols dormir
és quan més el fas servir.

El llit

Este libro, fruto de la colaboración de algunos hablantes de mexicano (nombre con el que también se denomina a la lengua náhuatl en diversas comunidades), da cuenta de la vitalidad que sigue teniendo, en la región del río Balsas, la antigua tradición de jugar a las adivinanzas.

Actualmente esta lengua cuenta con el mayor número de hablantes —más de un millón y quizá hasta dos— entre las distintas lenguas originarias de México. Se habla en diversos estados de la República mexicana, entre otros, Durango, Jalisco, Michoacán, Hidalgo, Veracruz (en las huastecas, por ejemplo, existe por lo menos un cuarto de millón de hablantes), en Morelos, Guerrero, Oaxaca y la ciudad de México (en la delegación Milpa Alta). Incluso, debido a la migración, se habla náhuatl en Sonora, en Estados Unidos y Canadá. En esta lengua existen variantes distintivas que pueden estar relacionadas con el aislamiento al que se han visto sometidas la mayoría de las comunidades. Por circunstancias como ésta se han desarrollado diferentes variedades de mexicano, como las que se muestran en este libro.

Las adivinanzas que presentamos en esta edición fueron recopiladas en Oapan, Guerrero, probablemente una de las comunidades mexicaneras cuya lengua y cultura poseen una mayor vitalidad. Diversas investigaciones nos indican que, en Tlaxcala, la lengua se encuentra en peligro de desaparecer. Este libro se concibe como una modesta contribución para evitar que eso suceda. Uno de los indicadores que nos hablan del riesgo en el que se encuentra la lengua en esta región es la pérdida de lo que se conoce como cantidad vocálica, pues en el mexicano las vocales suenan con una mayor duración que a la que estamos acostumbrados los hispanos o los angloparlantes, y sus variaciones producen cambios de significado.

En Oapan, por ejemplo, tenemos palabras como *kipaatla*, que significa "lo bate" (que podría ser el chocolate) y *kipatla* que quiere decir "lo cambia" (por

30

ejemplo, jitomates por chiles en el mercado, haciendo trueque).

Hemos reconstruido la cantidad vocálica en el caso de la variante tlaxcalteca, una de las que se encuentran más amenazadas, con base en inferencias indirectas, como el náhuatl clásico (el que hablaban los mexicas), y la evidencia moderna, como la que ofrece la variante hablada en Oapan, cuya vitalidad lingüística es perceptible por la gran cantidad de vocales largas usadas.

El reconstruir la cantidad vocálica no se debe a una manía de lingüista, sino que significa un gesto de respeto a una de las características más distintivas del mexicano. Simboliza el deseo de que esta lengua se mantenga viva, además de la intención de representar por escrito lo que en la práctica remite a un habla más pausada. La escritura que utilizamos para representar un hábito oral se hace sobre todo en términos de la fonética, es decir, escribimos más como suena la lengua y no con base en el español.

Las adivinanzas de este libro también se presentan en lengua catalana, que pertenece a la familia lingüística de las lenguas románicas, y que se extiende por un territorio de aproximadamente 68 000 kilómetros, en los que viven alrededor de trece millones de personas. Actualmente, la región en la que se habla catalán está dividida en siete territorios distribuidos en cuatro estados: Andorra, la ciudad de Alguer en la isla de Cerdeña (Italia), Cataluña, las Islas Baleares, la Comunidad Valenciana, la zona oriental de Aragón (España) y la Cataluña del Norte (Francia).

Las ilustraciones de este libro fueron elaboradas en amate, un papel fabricado con la corteza del árbol del mismo nombre, por los *ñhañhu* u otomíes, de la Sierra Norte de Puebla.

Los habitantes de la región del río Balsas los compran para pintarlos y venderlos, como buenos comerciantes y *tlacuilos* (pintores) que son.

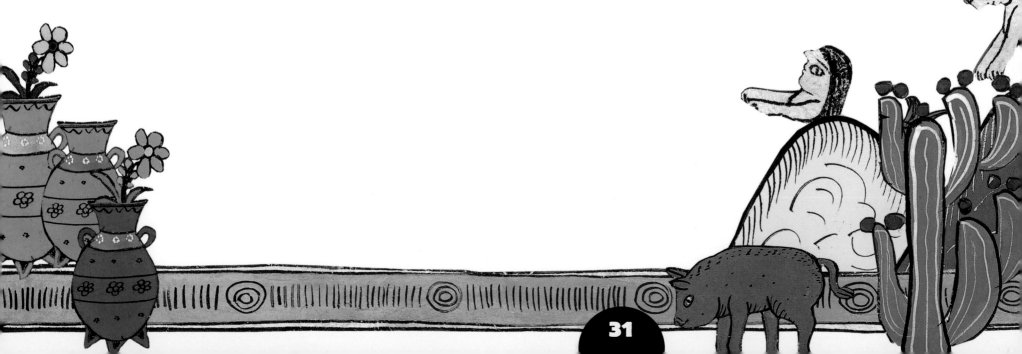

31

Adivinanzas mexicanas.

See Tosaasaaniltsiin,
See Tosaasaaniltsiin.

Se terminó de imprimir
en octubre de 2007 en Hong Kong,
en los talleres de Asia Pacific Offset.